※MEMO

※MEMO

※*MEMO*

注 災害等の影響により、一部で不通となっている区間があります。

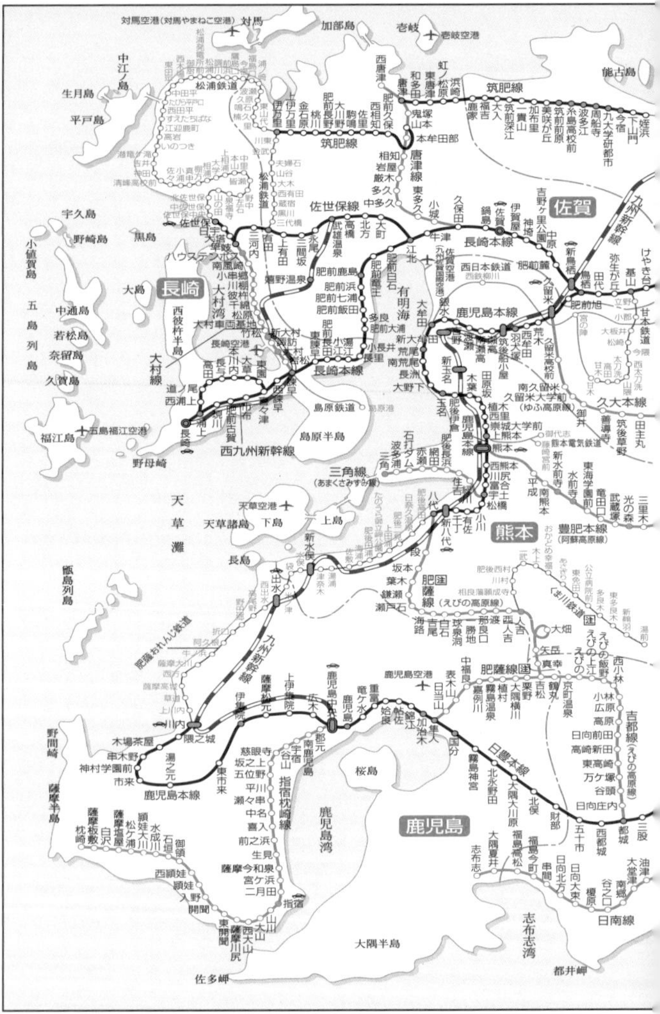

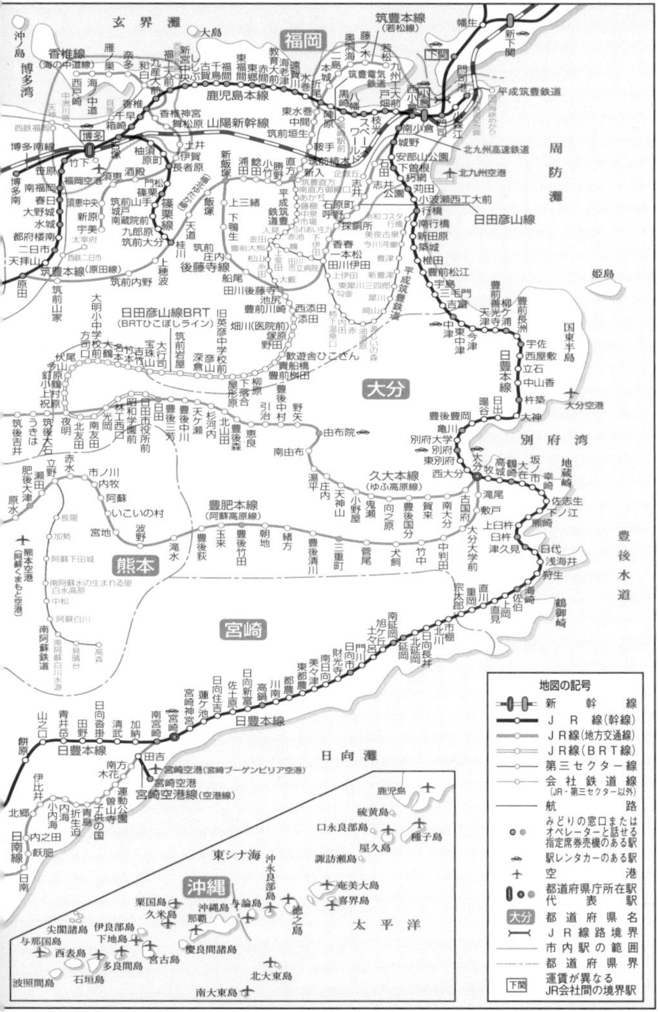
玄界灘
沖ノ島
博多湾
福岡
香椎線
(海の中道線)
筑豊本線
(若松線)
鹿児島本線
山陽新幹線
博多
博多南線
博多南
福岡空港
北九州空港
平成筑豊鉄道
北九州高速鉄道
周防灘
日田彦山線
姫島
国東半島
大分空港
別府湾
大分
日豊本線
久大本線
(ゆふ高原線)
豊肥本線
(阿蘇高原線)
日田彦山線BRT
(BRTひこぼしライン)
後藤寺線
筑豊本線(原田線)
熊本
熊本空港
(阿蘇くまもと空港)
南阿蘇鉄道
宮崎
宮崎空港
宮崎空港線(空港線)
日南線
日向灘
豊後水道
関門海峡めかり
小倉
西小倉
門司
門司港
下関
新下関
幡生
中津
宇佐
杵築
別府
亀川
由布院
大分
佐伯
延岡
日向市
宮崎
南宮崎
田吉
青島
油津
日南
沖縄
東シナ海
太平洋
鹿児島
種子島
屋久島
奄美大島
喜界島
徳之島
沖永良部島
与論島
沖縄島
那覇
久米島
粟国島
宮古島
石垣島
西表島
与那国島
波照間島
多良間島
北大東島
南大東島
尖閣諸島
伊良部島
下地島
慶良間諸島
口永良部島
硫黄島
諏訪瀬島
地図の記号
新幹線
JR線(幹線)
JR線(地方交通線)
JR線(BRT線)
第三セクター線
会社鉄道線
(JR・第三セクター以外)
航路
みどりの窓口または
オペレーターと話せる
指定席券売機のある駅
駅レンタカーのある駅
空港
都道府県庁所在駅
代表駅
大分
都道府県名
JR線路境界
市内駅の範囲
都道府県界
下関
運賃が異なる
JR会社間の境界駅

2024年5月現在

注 災害等の影響により、一部で不通となっている区間があります。

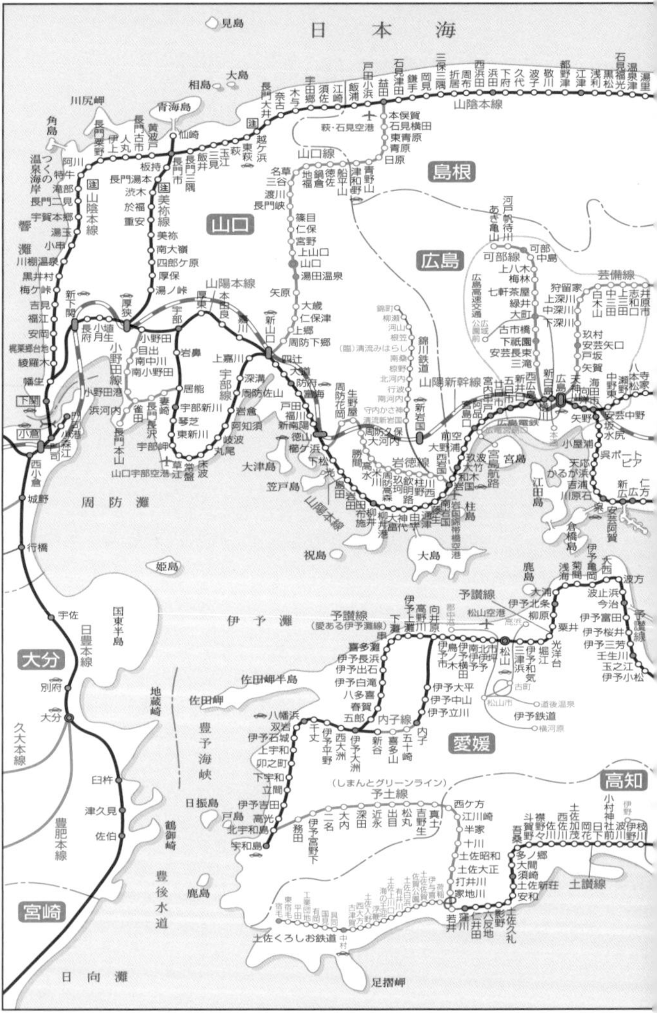

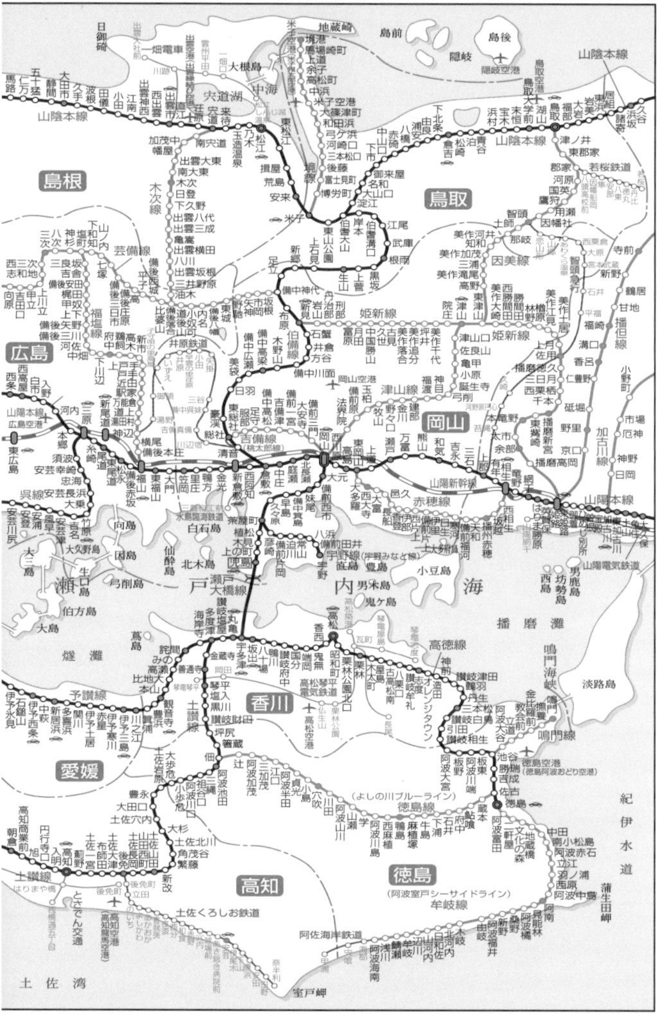

島根
鳥取
岡山
広島
香川
愛媛
高知
徳島
日御碕
出雲大社前
一畑電車
出雲空港
雲州平田
一畑口
川跡
大根島
中海
宍道湖
地蔵崎
島前
島後
隠岐
隠岐空港
山陰本線
境港
馬場崎町
上道
余子
高松町
中浜
米子空港
大篠津町
和田浜
弓ケ浜
河崎口
三本松口
後藤
富士見町
博労町
境線
米子
安来
荒島
揖屋
東松江
松江
乃木
玉造温泉
来待
宍道
荘原
直江
出雲市
西出雲
出雲神西
江南
小田
田儀
波根
久手
大田市
静間
五十猛
仁万
馬路
加茂中
幡屋
南宍道
出雲大東
南大東
木次
日登
下久野
出雲八代
出雲三成
亀嵩
出雲横田
八川
出雲坂根
三井野原
油木
木次線
備後落合
比婆山
備後西城
平子
高
備後庄原
七塚
山ノ内
下和知
塩町
神杉
八次
三次
西三次
志和地
芸備線
東城
野馳
矢神
市岡
坂根
備中神代
岩山
新見
丹治部
刑部
足立
新郷
上石見
生山
上菅
黒坂
根雨
武庫
江尾
伯耆溝口
岸本
伯耆大山
東山公園
御来屋
名和
大山口
淀江
下市
中山口
赤碕
八橋
浦安
由良
下北条
倉吉
松崎
泊
青谷
浜村
宝木
末恒
鳥取大学前
湖山
鳥取
福部
岩美
大岩
東浜
居組
諸寄
浜坂
久谷
鳥取空港
津ノ井
東郡家
郡家
若桜鉄道
河原
国英
鷹狩
用瀬
因幡社
智頭
土師
那岐
因美線
美作河井
知和
美作加茂
三浦
美作滝尾
高野
東津山
津山
院庄
美作千代
坪井
美作追分
美作落合
久世
中国勝山
月田
富原
姫新線
津山口
佐良山
亀甲
小原
誕生寺
弓削
神目
福渡
津山線
玉柏
備前原
牧山
野々口
金川
建部
法界院
岡山空港
備中川面
方谷
井倉
石蟹
伯備線
木野山
備中高梁
備中広瀬
美袋
日羽
豪渓
総社
東総社
服部
足守
備中高松
吉備津
備前一宮
大安寺
備前三門
吉備線
(桃太郎線)
岡山
西川原
東岡山
高島
上道
瀬戸
万富
熊山
和気
吉永
三石
上郡
有年
竜野
網干
姫路
山陽本線
山陽新幹線
赤穂線
播州赤穂
天和
備前福河
寒河
日生
伊里
備前片上
西片上
伊部
香登
長船
邑久
大富
西大寺
大多羅
大元
備前西市
妹尾
備中箕島
早島
久々原
茶屋町
植松
木見
上の町
児島
彦崎
備中田井
八浜
常山
迫川
備前片岡
宇野線(宇野みなと線)
宇野
直島
豊島
小豆島
男木島
鬼ケ島
瀬戸大橋線
瀬戸内海
庭瀬
中庄
倉敷
西阿知
新倉敷
金光
鴨方
里庄
笠岡
大門
東福山
福山
備後赤坂
松永
東尾道
尾道
糸崎
三原
本郷
河内
入野
白市
西高屋
西条
東広島
広島空港
山陽本線
須波
安芸幸崎
忠海
安芸長浜
大乗
呉線
竹原
吉名
安芸津
風早
安浦
安登
安芸川尻
大三島
生口島
大久野島
因島
向島
白石島
北木島
仙酔島
弓削島
伯方島
大島
水島臨海鉄道
三菱自工前
井原鉄道
神辺
湯田村
道上
万能倉
駅家
近田
戸手
上戸手
新市
高木
鵜飼
府中
河佐
八田原
備後三川
上下
甲奴
梶田
備後安田
吉舎
三良坂
上川立
甲立
吉田口
向原
福塩線
下川辺
中畑
帝釈峡
燧灘
播磨灘
鳴門海峡
淡路島
紀伊水道
蒲生田岬
高松
香西
鬼無
端岡
国分
讃岐府中
鴨川
八十場
坂出
宇多津
丸亀
讃岐塩屋
多度津
海岸寺
詫間
みの
高瀬
比地大
本山
観音寺
豊浜
箕浦
川之江
伊予三島
伊予寒川
赤星
伊予土居
関川
多喜浜
新居浜
中萩
伊予西条
石鎚山
伊予氷見
予讃線
金蔵寺
善通寺
琴平
塩入
黒川
讃岐財田
坪尻
箸蔵
佃
土讃線
阿波池田
三縄
祖谷口
阿波川口
小歩危
大歩危
土佐岩原
豊永
大田口
土佐穴内
大杉
土佐北川
角茂谷
繁藤
新改
土佐山田
山田西町
土佐長岡
後免
土佐大津
布師田
土佐一宮
薊野
高知
入明
円行寺口
旭
高知商業前
朝倉
土讃線
後免町
立田
土佐くろしお鉄道
ごめん・なはり線
とさでん交通
はりまや橋
高知空港
(高知龍馬空港)
土佐湾
室戸岬
阿佐海岸鉄道
甲浦
海部
阿波海南
浅川
鯖瀬
牟岐
辺川
山河内
日和佐
北河内
木岐
由岐
新野
桑野
阿波福井
阿波橘
見能林
阿南
阿波中島
西原
羽ノ浦
立江
阿波赤石
南小松島
中田
地蔵橋
文化の森
二軒屋
阿波富田
徳島
牟岐線
(阿波室戸シーサイドライン)
徳島線
(よしの川ブルーライン)
佐古
蔵本
府中
鮎喰
石井
下浦
牛島
麻植塚
鴨島
西麻植
阿波川島
学
山瀬
阿波山川
川田
穴吹
小島
貞光
阿波半田
江口
三加茂
阿波加茂
辻
吉成
勝瑞
池谷
阿波大谷
立道
教会前
金比羅前
撫養
鳴門
鳴門線
徳島空港
(徳島阿波おどり空港)
板野
阿波川端
板東
阿波大宮
讃岐相生
引田
讃岐白鳥
三本松
丹生
鶴羽
讃岐津田
神前
造田
オレンジタウン
志度
讃岐牟礼
八栗口
古高松南
屋島
木太町
栗林
昭和町
栗林公園北口
高松空港
高徳線
琴電屋島
琴電志度
瓦町
琴平
高松築港
高松琴平電気鉄道
山陽電気鉄道
男鹿島
坊勢島
西島
播但線
寺前
鶴居
甘地
福崎
溝口
香呂
仁豊野
砥堀
野里
京口
加古川線
市場
厄神
神野
日岡
小野町
西粟倉
大原
智頭急行
石井
平福
佐用
上月
播磨徳久
三日月
西栗栖
千本
東觜崎
播磨新宮
本竜野
太市
余部
播磨高岡

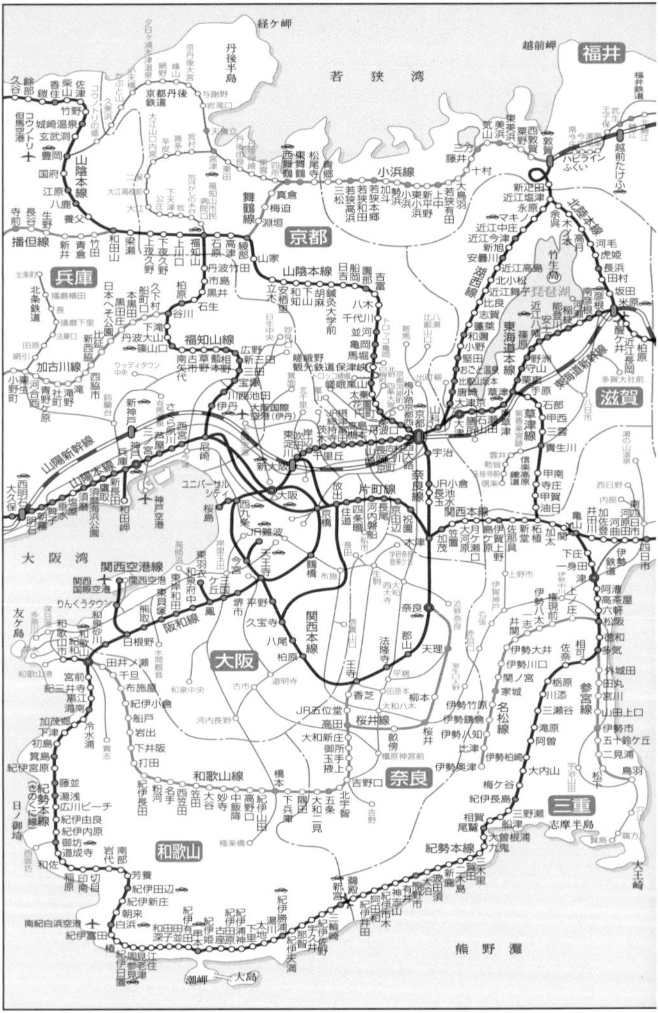

経ケ岬
丹後半島
若狭湾
越前岬
福井
京都
兵庫
滋賀
大阪
奈良
三重
和歌山
大阪湾
熊野灘
琵琶湖
竹生島
友ケ島
日ノ御埼
志摩半島
大王崎
潮岬
大島
京都丹後鉄道
山陰本線
小浜線
舞鶴線
播但線
福知山線
加古川線
北条鉄道
山陽新幹線
山陽本線
湖西線
北陸本線
東海道本線
東海道新幹線
草津線
信楽高原鐵道
関西本線
片町線
奈良線
桜井線
和歌山線
阪和線
関西空港線
紀勢本線
参宮線
名松線
伊勢鉄道
ハピラインふくい
嵯峨野観光鉄道
コウノトリ但馬空港
大阪国際空港（伊丹）
関西国際空港
神戸空港
南紀白浜空港
城崎温泉
豊岡
福知山
綾部
東舞鶴
西舞鶴
敦賀
越前たけふ
近江塩津
米原
彦根
長浜
草津
京都
山科
大津
亀岡
嵯峨嵐山
宇治
新大阪
大阪
京橋
天王寺
JR難波
尼崎
三ノ宮
神戸
西明石
明石
三田
宝塚
日根野
和歌山
海南
御坊
紀伊田辺
白浜
串本
紀伊勝浦
新宮
熊野市
尾鷲
紀伊長島
多気
松阪
伊勢市
鳥羽
亀山
柘植
加茂
奈良
王寺
高田
桜井
五条
橋本

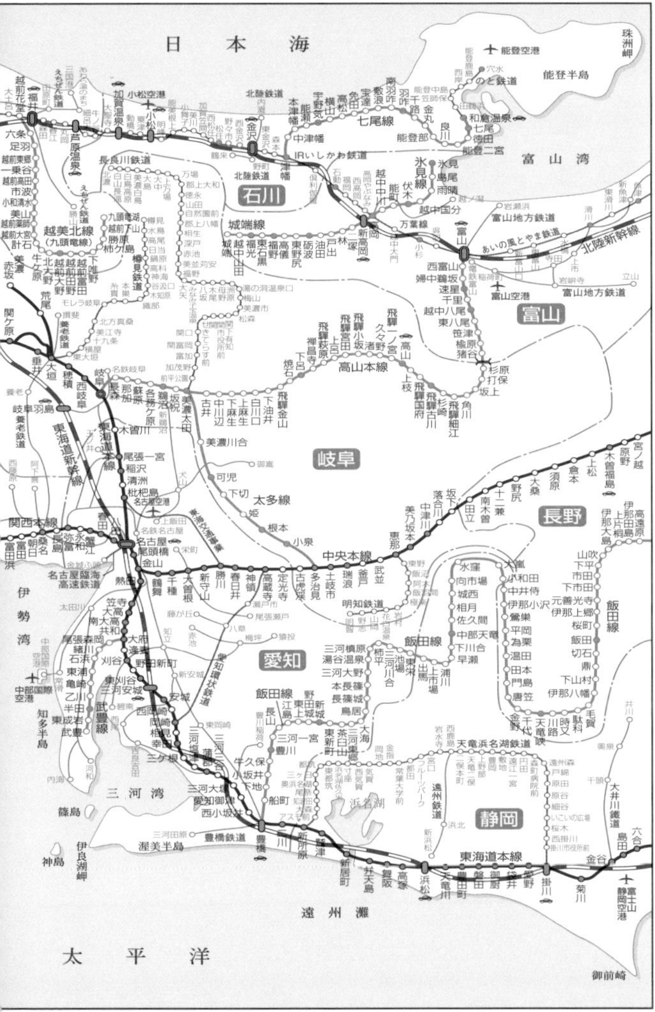

日本海
珠洲岬
能登空港
能登半島
のと鉄道
穴水
和倉温泉
七尾
徳田
能登二宮
七尾線
富山湾
氷見
氷見線
高岡
新高岡
城端線
城端
越中国分
伏木
能町
万葉線
富山
北陸新幹線
あいの風とやま鉄道
富山地方鉄道
富山空港
立山
岩峅寺
滑川
魚津
岩瀬浜
富山
石川
金沢
IRいしかわ鉄道
北陸鉄道
津幡
中津幡
本津幡
宇野気
羽咋
小松空港
小松
加賀温泉
芦原温泉
福井
越前花堂
えちぜん鉄道
三国港
越美北線
（九頭竜線）
九頭竜湖
越前大野
美濃赤坂
長良川鉄道
樽見鉄道
美濃太田
郡上八幡
北濃
猪谷
高山本線
高山
飛騨古川
下呂
美濃川合
太多線
可児
中央本線
岐阜
大垣
関ケ原
垂井
岐阜羽島
東海道新幹線
東海道本線
養老鉄道
関西本線
名古屋
金山
熱田
尾張一宮
木曽川
稲沢
清洲
枇杷島
名古屋空港
東海交通事業
多治見
土岐市
瑞浪
中津川
恵那
明知鉄道
明智
長野
木曽福島
宮ノ越
南木曽
飯田線
飯田
天竜峡
平岡
中部天竜
豊橋
豊川
新城
本長篠
三河槙原
愛知環状鉄道
愛知
岡崎
刈谷
大府
武豊線
武豊
中部国際空港
知多半島
伊勢湾
三河湾
渥美半島
三河田原
豊橋鉄道
篠島
神島
伊良湖岬
天竜浜名湖鉄道
浜名湖
遠州鉄道
新浜松
西鹿島
浜松
静岡
掛川
菊川
金谷
大井川鐵道
新金谷
千頭
富士山静岡空港
遠州灘
太平洋
御前崎

日本海
太平洋
駿河湾
富山
新潟
長野
山梨
神奈川
静岡
北陸新幹線
あいの風とやま鉄道
えちごトキめき鉄道
大糸線
信越本線
篠ノ井線
しなの鉄道
飯山線
長野電鉄
上田電鉄
中央本線
飯田線
小海線
（八ケ岳高原線）
身延線
御殿場線
東海道新幹線
東海道本線
伊東線
伊豆急行
伊豆箱根鉄道
岳南電車
静岡鉄道
富士山麓電気鉄道
富山地方鉄道
黒部峡谷鉄道
北越急行
吾妻線
秩父鉄道
八高線
内房線
アルピコ交通
糸魚川
直江津
上越妙高
飯山
長野
上田
佐久平
軽井沢
安中榛名
松本
塩尻
茅野
上諏訪
下諏訪
岡谷
辰野
小淵沢
甲府
大月
八王子
高尾
立川
町田
橋本
新横浜
横浜
鶴見
大船
鎌倉
逗子
横須賀
久里浜
茅ケ崎
平塚
小田原
熱海
三島
沼津
富士
新富士
静岡
藤枝
西焼津
六合
伊東
伊豆急下田
修善寺
伊豆半島
初島
大島
大島空港
石廊崎
洲崎
館山
千倉
黒部宇奈月温泉
白馬
信濃大町
姫川
南小谷
青柳
富士見
日野春
韮崎
竜王
石和温泉
山梨市
塩山
勝沼ぶどう郷
御殿場
松田
国府津
二宮
大磯
辻堂
藤沢
海老名
厚木
拝島
青梅
武蔵五日市
府中本町
登戸
国分寺
西国分寺
高麗川
寄居
小諸
中込
小海
野辺山
清里
伊那市
飯田
中津川

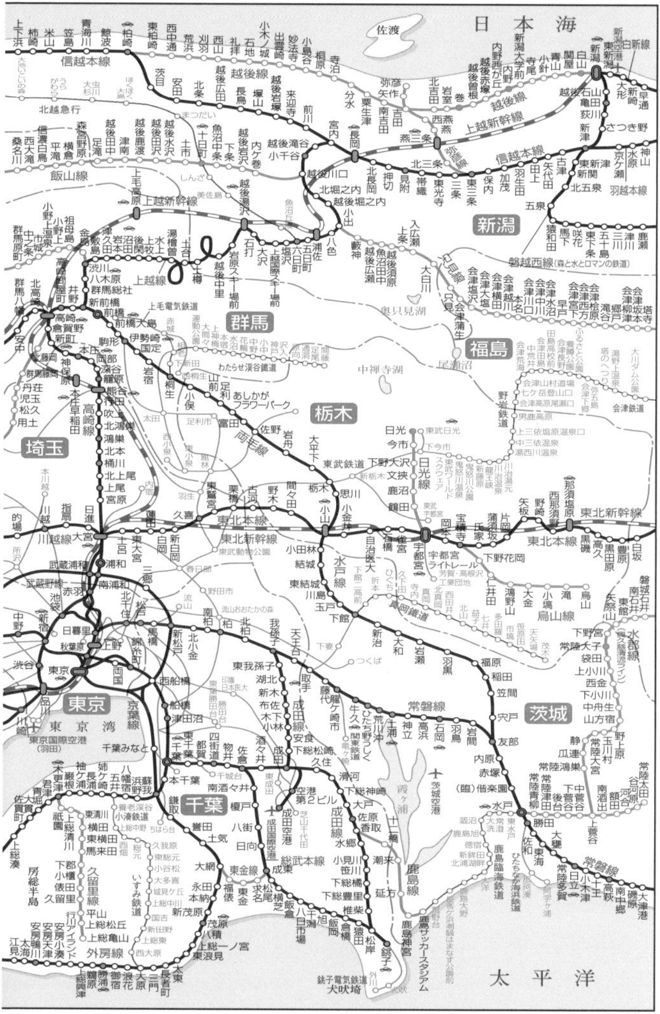

日本海
佐渡
太平洋
東京湾
霞ケ浦
中禅寺湖
奥只見湖
尾瀬沼
新潟
群馬
栃木
福島
埼玉
茨城
千葉
東京
信越本線
北越急行
越後線
上越新幹線
上越線
飯山線
弥彦線
羽越本線
白新線
磐越西線（森と水とロマンの鉄道）
只見線
上毛電気鉄道
わたらせ渓谷鐵道
両毛線
東武鉄道
日光線
野岩鉄道
会津鉄道
高崎線
東北本線
東北新幹線
宇都宮ライトレール
烏山線
水戸線
真岡鐵道
水郡線
常磐線
川越線
武蔵野線
京葉線
成田線
総武本線
東金線
外房線
久留里線
いすみ鉄道
小湊鉄道
鹿島線
鹿島臨海鉄道
ひたちなか海浜鉄道
関東鉄道
銚子電気鉄道
成田空港
成田国際空港
茨城空港
東京国際空港（羽田）
新潟
長岡
柏崎
高崎
宇都宮
大宮
東京
上野
千葉
水戸
小山
銚子

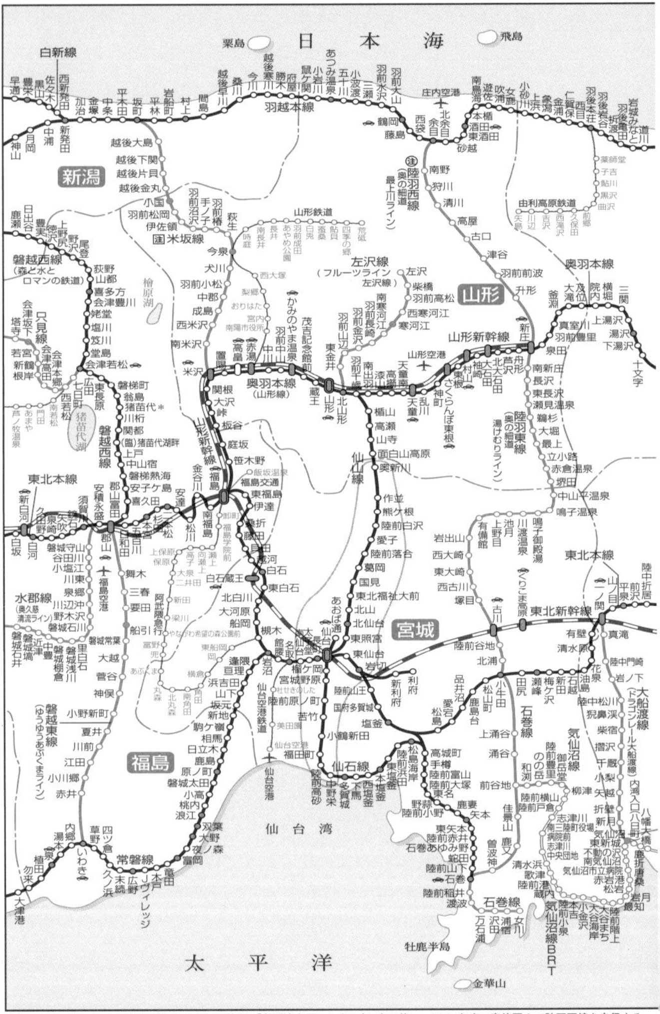


㊟陸羽西線では、国土交通省が建設する高屋道路の「(仮称)高屋トンネル」工事に伴い、2024年度工事終了まで陸羽西線を走行する全列車の運転を取りやめ、バス代行輸送を行っています。

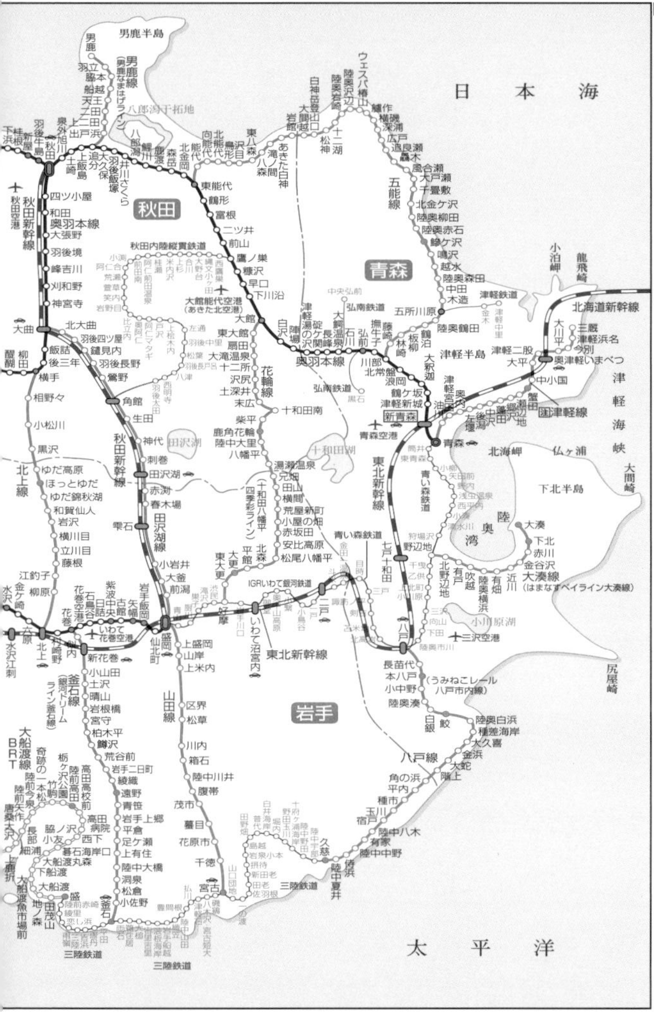


注 災害・工事等の影響により、一部で不通、もしくはバス代行となっている区間があります。

日本海
礼文島
利尻島
利尻空港
天売島
焼尻島
雄冬岬
積丹岬
神威岬
積丹半島
茂津多岬
奥尻島
奥尻空港
渡島半島
北海道
留萌本線
石狩沼田
北秩父別
秩父別
北一已
妹背牛
江部乙
滝川
砂川
豊沼
奈井江
茶志内
美唄
光珠内
峰延
岩見沢
上幌向
幌向
豊幌
江別
高砂
野幌
大麻
森林公園
厚別
東滝川
赤平
根室本線
茂尻
平岸
芦別
上芦別
野花南
北海道医療大学
当別
太美
札沼線
（学園都市線）
ロイズタウン
あいの里公園
あいの里教育大
拓北
篠路
百合が原
太平
新琴似
新川
八軒
丘珠空港
麻生
栄町
札幌
宮の沢
真駒内
福住
苗穂
白石
平和
新札幌
上野幌
北広島
島松
恵み野
恵庭
千歳線
サッポロビール庭園
長都
千歳
南千歳
新千歳空港
函館本線
志文
栗沢
栗丘
栗山
由仁
古山
三川
室蘭本線
追分
安平
早来
遠浅
沼ノ端
植苗
川端
新夕張
占冠
鵡川
日高本線
浜厚真
勇払
苫小牧
青葉
糸井
錦岡
社台
白老
萩野
北吉原
竹浦
虎杖浜
登別
富浦
幌別
鷲別
東室蘭
輪西
御崎
母恋
室蘭
本輪西
崎守
黄金
稀府
北舟岡
伊達紋別
長和
有珠
洞爺
豊浦
大岸
礼文
小幌
静狩
長万部
二股
黒松内
熱郛
目名
蘭越
昆布
ニセコ
比羅夫
倶知安
小沢
銀山
然別
仁木
余市
蘭島
塩谷
小樽
南小樽
小樽築港
朝里
銭函
ほしみ
星置
稲穂
手稲
稲積公園
発寒
発寒中央
琴似
桑園
洞爺湖
支笏湖
国縫
黒岩
山崎
八雲
山越
野田生
落部
石倉
森
駒ケ岳
内浦湾
東森
尾白内
掛澗
渡島砂原
渡島沼尻
鹿部
赤井川
大沼公園
大沼
仁山
新函館北斗
七飯
大中山
桔梗
七重浜
五稜郭
函館
函館市企業局
湯の川温泉
函館空港
恵山岬
木古内
道南いさりび鉄道
津軽海峡
北海道新幹線
大間崎
龍飛崎
仏ヶ浦
下北半島
尻屋崎
太平洋
津軽半島
三厩
襟裳岬

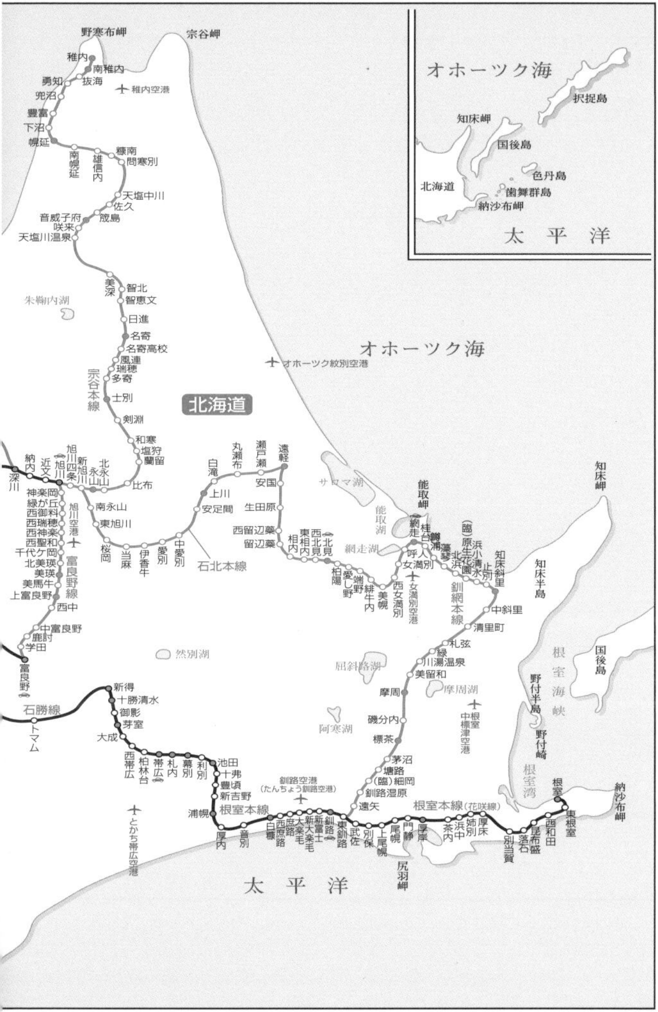
オホーツク海
択捉島
知床岬
国後島
色丹島
北海道
歯舞群島
納沙布岬
太平洋
野寒布岬
宗谷岬
稚内
南稚内
勇知
抜海
稚内空港
兜沼
豊富
下沼
幌延
南幌延
雄信内
糠南
問寒別
天塩中川
佐久
音威子府
筬島
咲来
天塩川温泉
美深
智北
智恵文
朱鞠内湖
日進
名寄
名寄高校
風連
瑞穂
多寄
宗谷本線
士別
剣淵
和寒
塩狩
蘭留
比布
北永山
永山
新旭川
旭川四条
旭川
近文
納内
深川
北海道
オホーツク海
オホーツク紋別空港
白滝
丸瀬布
瀬戸瀬
遠軽
安国
上川
安足間
生田原
南永山
東旭川
西留辺蘂
留辺蘂
桜岡
当麻
伊香牛
愛別
中愛別
石北本線
神楽岡
緑が丘
西御料
西瑞穂
西神楽
西聖和
千代ケ岡
北美瑛
美瑛
美馬牛
上富良野
西中
中富良野
鹿討
学田
富良野
旭川空港
富良野線
然別湖
サロマ湖
能取湖
能取岬
網走
桂台
鱒浦
藻琴
北浜
(臨)原生花園
浜小清水
止別
知床斜里
網走湖
東相内
相内
西北見
北見
柏陽
愛し野
端野
緋牛内
美幌
西女満別
女満別
呼人
女満別空港
釧網本線
知床岬
知床半島
中斜里
清里町
札弦
緑
川湯温泉
美留和
屈斜路湖
摩周
摩周湖
磯分内
標茶
阿寒湖
中標津空港
根室
茅沼
塘路
(臨)細岡
釧路湿原
遠矢
国後島
根室海峡
野付半島
野付崎
根室湾
根室
東根室
納沙布岬
新得
十勝清水
御影
芽室
大成
西帯広
柏林台
帯広
札内
幕別
利別
池田
十弗
豊頃
新吉野
浦幌
根室本線
釧路空港
(たんちょう釧路空港)
厚内
音別
白糠
西庶路
庶路
大楽毛
新大楽毛
新富士
釧路
東釧路
武佐
別保
上尾幌
尾幌
門静
厚岸
根室本線(花咲線)
茶内
浜中
姉別
厚床
別当賀
落石
昆布盛
西和田
尻羽岬
とかち帯広空港
石勝線
トマム
太平洋

STAMP

年　　月　　日

MEMO

STAMP

年　　月　　日

MEMO

STAMP

年　　月　　日

MEMO

STAMP

年　　月　　日

MEMO

STAMP

年　　月　　日

MEMO

STAMP

年　　月　　日

MEMO

STAMP

年　月　日

MEMO

STAMP

年　　月　　日

MEMO

STAMP

年　　月　　日

MEMO

STAMP

年　　月　　日

MEMO

STAMP

年　　月　　日

MEMO

STAMP

年　　月　　日

MEMO

STAMP

年　　月　　日

MEMO

STAMP

年　　月　　日

MEMO

STAMP

年　　月　　日

MEMO

STAMP

年　　月　　日

MEMO

STAMP

年　　月　　日

MEMO

STAMP

年　　月　　日

MEMO

STAMP

年　月　日

MEMO

STAMP

年　　月　　日

MEMO

STAMP

年　　月　　日

MEMO

STAMP

年　　月　　日

MEMO

# STAMP

年　　月　　日

MEMO

STAMP

年　　月　　日

MEMO

STAMP

年　　月　　日

MEMO

STAMP

年　　月　　日

MEMO

STAMP

年　　月　　日

MEMO

STAMP

年　　月　　日

MEMO

# STAMP

年　　月　　日

MEMO

STAMP

年　　月　　日

MEMO

STAMP

年　　月　　日

MEMO

STAMP

年　　月　　日

MEMO

STAMP

年　　月　　日

MEMO

STAMP

年　　月　　日

MEMO

STAMP

年　　月　　日

MEMO

STAMP

年　　月　　日

MEMO

STAMP

年　　月　　日

MEMO

STAMP

年　　月　　日

MEMO

STAMP

年　　月　　日

MEMO

STAMP

年　　月　　日

MEMO

STAMP

年　　月　　日

MEMO

STAMP

年　　月　　日

MEMO

STAMP

年　　月　　日

MEMO

STAMP

年　　月　　日

MEMO

STAMP

年　　月　　日

MEMO

STAMP

年　　月　　日

MEMO

STAMP

年　　月　　日

MEMO

STAMP

年　　月　　日

MEMO

STAMP

年　月　日

MEMO

STAMP

年　　月　　日

MEMO

STAMP

年　　月　　日

MEMO

STAMP

年　　月　　日

MEMO

STAMP

年　月　日

MEMO

STAMP

年　　月　　日

MEMO

STAMP

年　　月　　日

MEMO

STAMP

年　　月　　日

MEMO

STAMP

年　　月　　日

MEMO

STAMP

年　　月　　日

MEMO

STAMP

年　　月　　日

MEMO

STAMP

年　　月　　日

MEMO

STAMP

年　　月　　日

MEMO

STAMP

年　　月　　日

MEMO

STAMP

年　　月　　日

MEMO

STAMP

年　　月　　日

MEMO

STAMP

年　　月　　日

MEMO

STAMP

年　　月　　日

MEMO

STAMP

年　　月　　日

MEMO

STAMP

年　　月　　日

MEMO

STAMP

年　　月　　日

MEMO

STAMP

年　　月　　日

MEMO

STAMP

年　　月　　日

MEMO

STAMP

年　　月　　日

MEMO

●氏　名

●住　所

☎

●学校（又は勤務先）

●所在地

☎

●保険証番号

●血液型

●免許証番号

このスタンプノートをお拾いになった方はお手数ながら上記にご一報ください

1971年2月1日 初版発行
2024年7月12日 改訂48版発行

発行所 ——— 株式会社 交通新聞社
〒101-0062
東京都千代田区神田駿河台2-3-11
☎03（6831）6622（出版事業部販売）

印刷・製本 — 株式会社高山


ISBN978-4-330-06523-6